LES CHIENS

De Papi et Mami Lessard Juin 2009

Conception
Émilie BEAUMONT

Images
MIA - Lorenzo ORLANDI

FLEURUS

GROUPE FLEURUS, 15-27, rue Moussorgski, 75018 PARIS
www.editionsfleurus.com

CHIENS DE CHASSE

Les chiens sont par nature des chasseurs. Certains chassent à la vue, comme le lévrier, et d'autres chassent au flair. Depuis des milliers d'années que les chiens sont apprivoisés, les élevages ont développé des races adaptées aux types de chasse (chasse au petit ou au gros gibier, chasse au bois ou en plaine...). On distingue les chiens d'arrêt et les chiens courants. Le chien courant, comme son nom l'indique, court après le gibier. On l'emploie en meute pour la chasse à courre. Le chien d'arrêt débusque le gibier et le rapporte à son maître quand celui-ci l'a touché.

Le pointer

À l'arrêt

Quand il a décelé la présence d'un animal, le chien s'arrête. Il se concentre. Attiré par l'odeur, il pointe son museau, mais il attend son maître, le corps tendu, une patte levée.

Une meute de grands anglo-français tricolores lancée dans une harassante poursuite.

La chasse à courre

Ce sport, beaucoup pratiqué autrefois dans la haute société, compte encore de nombreux adeptes. Un équipage de cavaliers chasse à l'aide d'une meute de chiens. Ceux-ci doivent avoir un bon flair pour trouver un animal et suivre sa piste, être résistants et ne pas abandonner la poursuite malgré la fatigue, posséder une bonne gorge, c'est-à-dire une puissante voix qui s'entend de très loin. Ces chiens impressionnants sont des timides, soumis à l'homme.

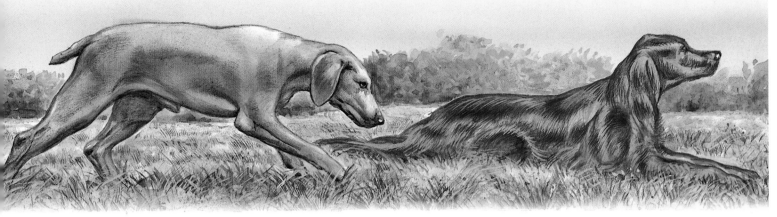

Le braque de Weimar *Le setter irlandais*

Cherche !

Le chien renifle les herbes et hume l'air avec joie jusqu'à ce qu'il ait repéré l'odeur d'une bête. Alors il suit la trace et ne la quitte plus avant d'avoir trouvé l'animal.

Couché !

Quand, sur l'ordre du maître, les chiens se couchent sur le ventre comme s'ils s'affaissaient, ils se mettent à sa disposition. Certains chiens se couchent d'instinct lorsqu'ils ont trouvé du gibier.

*Son instinct pousse **le labrador** à tout rapporter, notamment ce qui se trouve dans l'eau.*

Savoir rapporter

Le chien retrouve le gibier tiré et le rapporte fièrement en le tenant délicatement dans sa gueule pour ne pas l'abîmer. Il ne le mange pas, car il chasse pour son maître, et non pour lui.

La chasse à tir ou au fusil

Le chien est le compagnon indispensable du chasseur solitaire. Il sent les odeurs imperceptibles laissées par le gibier et, quand il l'a repéré, il se fige et le fixe. La bête, effrayée, reste immobile. Une fois que son maître s'est approché, le chien fait quelques pas, le gibier s'enfuit ou s'envole, et le chasseur n'a plus qu'à bien viser !

L'épagneul breton est un petit chien de chasse courageux. Excellent chien d'arrêt et rapporteur de gibier, il a un odorat très sensible.

LES LÉVRIERS

Leur origine, très ancienne, remonte à 5 000 ans avant J.-C. Une peinture de cette époque découverte au Moyen-Orient figure un chasseur accompagné d'un chien au corps fin et allongé. Les lévriers persans forment certainement la première race canine. D'allure souple et noble, ces chiens appartenaient aux familles fortunées et étaient utilisés pour la chasse, car leurs longues pattes, leur corps svelte et leur vue perçante en font d'excellents chasseurs. Ces chiens réclament beaucoup d'exercice, mais ils ne sont pas faciles à promener, car ils s'attaquent aux autres chiens.

Le barzoï ou lévrier russe

En Russie, on employait autrefois le lévrier persan pour la chasse au loup. Comme il ne supportait pas le froid, on a créé une nouvelle race, plus résistante, en croisant un lévrier et un chien de berger russe au pelage épais. Le lévrier russe issu de ce croisement existe depuis trois cents ans.

Le greyhound

Au Moyen Âge, il était le favori de l'aristocratie britannique. Chien de guerre, de chasse, de course, de compagnie, le greyhound est un compagnon gentil, fidèle et doux avec les enfants.

Comme ses cousins, le greyhound a besoin de beaucoup courir.

Le lévrier anglais à poil ras est sans doute le descendant le plus pur des chiens de pharaon représentés sur les peintures égyptiennes.

Prêt pour la compétition

Ce chien a la morphologie d'un athlète : des muscles puissants, des tendons d'acier. Il est très résistant. En revanche, son alimentation doit être préparée avec attention, car il a une digestion difficile. En l'élevant en groupe, on entretient son esprit de compétition. S'il semble courir pour le plaisir, c'est aussi pour gagner !

Le saluki ou lévrier persan

Originaire du Moyen-Orient, il était très apprécié des
nomades du désert parce qu'il supporte très bien
la chaleur, suit sans peine les caravanes
de chameaux et chasse remarquablement la gazelle.
Dans nos pays d'Occident, c'est un animal
de compagnie qui a besoin de courir tous les jours
et qui a gardé ses instincts de chasseur.

Le lévrier afghan

Cousin très proche du lévrier persan, il aurait
développé un long poil pour mieux supporter
le climat rigoureux de l'Afghanistan.
Il y chassait le léopard, le loup et le chacal.
Aujourd'hui chien de garde et porteur de
marchandises, il est considéré comme
un chien de luxe en Occident.

Les soins d'un prince

L'élégant lévrier afghan est
affectueux, même s'il est
parfois distant. Son pelage
fourni doit être brossé
tous les jours.

Des pieds de grande valeur

Le moindre défaut, la plus petite blessure
au pied portent préjudice à la qualité de la
course du lévrier. C'est pourquoi on
surveille minutieusement les pattes de ces
champions. On les entraîne sur des sols
durs pour préparer leurs coussinets à la
course, et on taille leurs ongles à la bonne
longueur : ni trop courts ni trop longs !

LES TERRIERS

À l'origine, les terriers étaient des chiens de chasse appartenant à des paysans. Ils étaient dressés pour attraper les animaux nuisibles, comme les renards et les blaireaux, qu'ils poursuivaient jusqu'au fond de leur terrier. Tous ces chiens sont aptes à ce type de chasse, mais les meilleurs sont le fox-terrier et le teckel. Aujourd'hui, les terriers sont devenus des chiens de salon, mais ils n'ont pas perdu leur instinct de chasseurs. Dès qu'ils se retrouvent à la campagne et qu'ils sentent l'odeur d'un lapin ou d'un renard, ils se précipitent à sa recherche et reviennent souvent couverts de terre et méconnaissables !

Dans son pays d'origine, l'Allemagne, **le teckel** est encore employé à déloger les blaireaux et les renards de leur terrier. Son flair très fin en fait également un excellent chien de quête au bois ou chien de meute, qui sait très bien débusquer le gibier.

Bien qu'affectueux et joueurs, **les fox** ont de gros défauts. Ils s'attaquent aux autres chiens et sont fugueurs. Ils s'enfuient sous vos yeux et vos appels restent sans effet. Ils rentreront quand ils le voudront !

Les chiots fox à poil dur sont de vraies peluches. Ce n'est qu'à la première tonte qu'ils ressemblent à leur mère.

La race du **bull terrier** a été mise au point au XIXe siècle pour les combats contre les taureaux. Bas sur des pattes musclées, ce puissant chien doit être bien dressé. Il est fidèle et dévoué à son maître et la chienne a un comportement très sûr avec les enfants.

On appelle aussi scottie **le terrier écossais**, originaire d'Écosse. Autrefois spécialisé pour attraper blaireaux et belettes au fond de leur terrier, aujourd'hui il joue à la balle ! Peu accueillant envers les intrus, il ne réserve son affection qu'à une ou deux personnes.

La race de l'airedale avait été créée pour la chasse à la loutre. C'est un chien qui aime beaucoup l'eau.

Malgré sa petite taille, **le west highland white terrier** n'est pas un chien de salon ! Il a gardé son instinct de chasseur et se montre courageux, dynamique et résistant.

Le westie est très populaire, car il a un petit air malin. Il est gentil avec les enfants et aime jouer. De plus, il est facile à dresser.

L'airedale est le roi des terriers ! Il est le plus grand de la race. Loyal, intelligent et facile à vivre, on lui a confié toutes sortes de tâches : chien de garde, chien de police, chien de sauvetage.

CHIENS DE BERGER

Le chien a un instinct de gardien, que l'homme emploie depuis des milliers d'années. Seul ou avec le berger, il garde les troupeaux de vaches, de porcs, de chèvres ou de moutons. Il faut l'éduquer afin de perfectionner son travail, mais, chez certaines races, « le métier » est inné. Il suffit de mettre les jeunes en présence des vieux chiens pour obtenir d'excellents bergers. On améliore les races en fonction de la topographie : le berger de montagne éloigne les bêtes du ravin et le berger de plaine rapproche les bêtes qui se dispersent. C'est pourquoi les chiens de berger portent souvent le nom d'une région ou d'un pays.

Le robuste **colley** ou **berger d'Écosse** ne garde plus les troupeaux, mais il a conservé son intelligence et son excellente vue de gardien. Il aime les enfants et les surveille avec beaucoup d'attention.

*On dit du **border-collie** qu'il a l'œil. Il a un grand pouvoir sur les bêtes rien qu'en les regardant. Il les hypnotise sans les immobiliser, en les fixant. Il obtient ainsi ce qu'il veut, sans aboiements ni agressivité.*

Le border-collie est très obéissant. Il réagit immédiatement aux ordres de son maître, qui se contente de faire un geste ou de siffler. Le border-collie, qui a besoin d'énormément d'exercice, est un excellent gardien, mais pas un chien d'appartement !

Le briard est le berger français par excellence. Ses longs poils tombant sur ses yeux ne l'empêchent pas de voir. Rien n'échappe à sa surveillance ! C'est un chien affectueux avec ses maîtres.

Le puli est un berger originaire des grandes plaines de Hongrie, en Europe centrale. Il apprécie d'être en plein air et a besoin de beaucoup d'exercice. Son poil bouclé ressemble à de la corde.

Le kelpie ou **berger australien** doit surveiller de très vastes troupeaux. C'est pourquoi le berger lui apprend à marcher sur le dos des moutons pour rejoindre plus vite les animaux en tête !

Rassembler et défendre

Il y a deux types de chiens de berger. L'un rassemble, conduit et même trie les moutons ; l'autre défend les troupeaux contre les bêtes sauvages. Il ne s'attaque pas au prédateur, qui serait vainqueur, mais reste à sa place sans s'effrayer. Le prédateur, déconcerté, préfère garder ses distances !

LES CHIENS DE TRAÎNEAU

Chiens du Grand Nord, ils ont été pendant longtemps indispensables à la survie des hommes dans des régions où le climat est extrêmement rigoureux. Grâce à leur exceptionnelle résistance physique, ils tiraient les traîneaux lourdement chargés lors des déplacements et des chasses. Et sans eux, les explorations polaires auraient été impossibles. Maintenant que les véhicules à moteur les ont remplacés, ils tirent des attelages de course ou de randonnée et restent le plus sûr moyen de parcourir des terrains couverts d'énormes blocs de glace.

La constitution d'un attelage

Il existe deux façons d'atteler les chiens : en éventail, à la manière des Esquimaux, où tous les chiens sont attachés au traîneau ; en tandem, où les chiens sont fixés à un lien central lui-même fixé au traîneau. Afin que le traîneau avance bien, on place à l'avant le chien de tête. Il donne l'allure à tout l'attelage parce qu'il est volontaire, puissant et autoritaire. En général, les autres chiens l'ont reconnu comme leur chef parce qu'il est le meilleur. Ils le laissent manger en premier quand on les nourrit après le travail. Les chiens de traîneau ont un solide appétit, car ils doivent reprendre beaucoup de forces après leurs efforts.

Le husky est un excellent chien de compagnie si on lui fait faire suffisamment d'exercice.

Le malamute d'Alaska est un chien d'Esquimaux, doux et affectueux avec les hommes, mais querelleur avec les autres chiens à qui il veut imposer sa domination. Il n'est pas très rapide, mais résistant. Il couvre de longues distances en portant de lourdes charges.

Quand les yeux ne sont pas de la même couleur, on dit qu'ils sont vairons.

Le husky de Sibérie fut d'abord un chien de trait en Asie. Les Anglais en firent un chien de traîneau lors de l'exploration des pôles. Il est le plus rapide des chiens de ce type. Peu bagarreur et réceptif aux ordres, il fait un excellent chien de tête.

Le samoyède était gardien de troupeaux et chien de chasse en Sibérie avant de devenir chien de traîneau. Malgré son aspect farouche, il est dévoué et doux avec les enfants qu'il garde hardiment.

Supporter la rigueur du climat

Quand ils se reposent, les chiens de traîneau se couchent en boule, le museau sur les pattes avant et la queue sur la truffe. Ils se laissent couvrir par la neige, supportent des températures inférieures à -50 °C et semblent ignorer le blizzard, qui souffle à plus de 150 km/h. Si le sol est hérissé d'épines de glace, on protège leurs pattes avec de petites bottes de cuir ou de laine.

AU SERVICE DE L'HOMME

On ne sait pas à quelle époque a eu lieu la rencontre de l'homme et du chien. Toujours est-il que l'homme a certainement très vite compris l'utilité d'un tel compagnon et a mis à profit sa force et son intelligence afin de prolonger ses propres capacités. Il a fait de lui un chasseur, un berger, un défenseur... Les sens du chien sont beaucoup plus performants que ceux de l'homme, notamment son flair. Auxiliaire dévoué de l'homme depuis si longtemps, le chien ne demande qu'à lui obéir. Ainsi, on élève des chiens pour accomplir des tâches bien spécifiques.

Le chien guide d'aveugle

Il est éduqué dans un centre de dressage avec un spécialiste. L'amitié qui le lie ensuite à la personne aveugle s'appuie sur une totale et mutuelle confiance. Quand il porte son harnais, il est son guide. Il le dirige, lui indique les obstacles, lui fait traverser les rues et le fait s'arrêter.

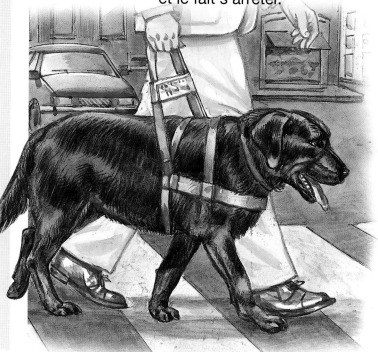

Le chien de sauvetage en montagne

Sur les lieux d'une avalanche, lorsqu'il sent la présence d'une vie humaine, le chien la signale par un aboiement joyeux. Il indique ainsi aux hommes l'accès le plus court à la personne ensevelie. Le chien sauve des vies grâce à son flair, à sa force et à sa persévérance.

Le chien de sauvetage en mer

Dès l'âge de quatre mois, on lui apprend à nager et à rapporter des objets. Le terre-neuve est le meilleur chien de sauvetage en mer, car il aime l'eau. Puissant et courageux, il intervient même en pleine tempête. Il sait ramener une personne inconsciente en la tirant par le bras.

Le chien de handicapé

Des chiens sont éduqués dans le but de faciliter la vie quotidienne de personnes handicapées. Les uns savent décrocher le téléphone quand il sonne et l'apporter à leur maître, d'autres porter le cartable d'école d'un jeune enfant qui se déplace en fauteuil roulant.

Le chien de policier

Depuis le début du XXe siècle, les services de police utilisent des chiens pour retrouver des pistes de suspects, de la drogue et des explosifs.

Le berger allemand répond avec excellence aux critères d'intelligence, de vigueur, de sérieux et de bonne santé du chien policier.

Le travail comme un jeu

Quelle que soit son activité, le chien considère son travail comme un jeu. Son maître lui a d'abord appris l'obéissance. Ensuite, il l'éduque à retrouver des objets précis et chaque succès est récompensé par un jouet ou une caresse.

Le dressage du chien de sécurité

Le chien auxiliaire des services de sécurité est avant tout un chien d'attaque. Dès son plus jeune âge, il a appris avec son maître à poursuivre, attaquer et immobiliser un fuyard. Il lui reste fidèle et, quand sa carrière est achevée, il passe sa retraite auprès de lui.

Lors du dressage, le maître porte une combinaison rembourrée qui le protège des morsures du chien.

LES CHIENS DE COMPAGNIE

Avant, les hommes sélectionnaient leur chien en fonction du travail à faire : monter la garde, surveiller les troupeaux, traîner des charges, chasser... De nos jours, on choisit un chien pour son physique, son caractère et le bonheur qu'il peut apporter. Avant de faire l'acquisition d'un chien, il faut réfléchir à la place et au temps qu'on peut lui accorder. Le chien n'est pas un jouet qu'on abandonne, il réclame de l'attention, de l'affection et des soins. Il ne faut pas oublier que certains ont besoin d'espace, que d'autres doivent être brossés tous les jours...

Le cocker est un chien de chasse, spécialiste du gibier à plumes. C'est aussi un chien de compagnie agréable, dont il faut soigner attentivement le poil et les grandes oreilles.

Le basset hound est un chien courant devenu chien de compagnie, mais qui a besoin de beaucoup d'exercice. De plus, il a une fâcheuse tendance à vagabonder.

Autrefois, on voyait **le dalmatien** accompagner les attelages des grandes familles. Amical et affectueux, cet élégant chien doit beaucoup se dépenser.

Qu'il soit grand, nain ou miniature, **le caniche** a le même poil, qu'il faut bien brosser et tailler régulièrement. Ce chien gai est un bon nageur qui a besoin de faire de l'exercice.

Chien de compagnie depuis très longtemps, **le bichon maltais** est gai et robuste. Il aime le calme et les coussins. Son poil blanc et soyeux réclame un soin quotidien.

Le yorkshire est un petit chien à forte personnalité. Il sait se faire entendre ! Mais il est aussi sensible et débordant d'affection. Il aime les caresses et les câlins. Il est malheureux si on le brutalise. Si on veut le présenter à un concours, on laisse pousser ses longs poils gris et blonds, que l'on brosse tous les jours. Sinon, on les lui taille régulièrement.

Autrefois élevé pour les combats, **le bulldog** est devenu un animal d'intérieur. En même temps que son agressivité, il a perdu sa résistance. Finies les grandes promenades !

1

LES CHIOTS

La chienne est féconde deux fois par an et peut porter des petits de pères différents. La gestation, pendant laquelle la chienne est douce et affectueuse, dure deux mois environ. On lui prépare une confortable caisse dans un endroit calme et sans courants d'air, où elle se sentira comme dans un nid, à son aise pour mettre bas. Cette caisse doit être facile d'accès et avoir des bords assez hauts. Les mises bas se déroulent généralement sans problème. On surveille cependant plus attentivement celles des petites chiennes. Les portées comptent de deux à dix petits selon la race et la taille des chiots.

La mise bas

Les naissances ont souvent lieu la nuit. Au fur et à mesure de leur arrivée, la chienne lèche vigoureusement les petits pour les aider à respirer et pour les nettoyer. Ensuite, le lait de la première tétée les protège des microbes.

L'heure du biberon

Contrairement à d'autres animaux, les chiots boivent à n'importe quelle tétine. En malaxant le corps de leur mère avec leurs pattes, ils stimulent la venue du lait, qu'ils dégustent pendant sept semaines environ.

Un poids plume

Un chiot nouveau-né est complètement dépendant de sa mère. Il est sourd, aveugle et ne pèse pas un kilo ! Il dort presque toute la journée et ne s'éveille que pour téter. Après chaque repas, toutes les quatre heures, sa mère le retourne sur le dos et le nettoie.

Jeux de société

La période de socialisation commence vers un mois. Elle est très importante. C'est là que le chiot apprend la vie en société. Il dort moins, joue avec ses frères et sœurs. À deux mois, il a appris à se détacher de sa mère. C'est le meilleur âge pour découvrir son maître, qui se charge de son éducation. Le chiot le considère peu à peu comme un chef de meute. Il lui donne sa confiance et est prêt à lui obéir.

Une croissance rapide

Au bout de quinze jours, le chiot voit et entend. Il travaille son aboiement et son équilibre. À l'âge d'un mois, il marche et sort de la caisse. C'est à cette époque, alors que ses dents apparaissent, qu'il s'intéresse à la gamelle de sa mère tout en continuant à boire son lait au dessert !

Les chiots, comme les chiens de petite taille, doivent être portés avec précaution. Une main prend les épaules, l'autre soutient l'arrière-train. Il ne faut pas les soulever par les pattes avant.

21

L'ÉDUCATION

Un chien doit être éduqué dès son plus jeune âge. Cette entreprise réclame de la patience et de la fermeté. Il s'agit pour le maître de s'imposer sans agressivité, en basant son éducation de préférence sur la récompense, et non sur la punition. Le chien présente d'excellentes capacités d'apprentissage et admet volontiers la domination de l'homme. Cette docilité peut d'ailleurs faire de lui une arme. Les premières règles sont l'obéissance et la propreté. Il est recommandé de lui attribuer un nom court et de ne pas en changer. Les ordres aussi doivent être courts, donnés avec les gestes et les expressions qui y correspondent.

Apprendre à être propre

L'apprentissage de la propreté est indispensable. Au réveil et après les repas, on sort le chiot ou on le place sur un journal. On le récompense quand il fait ses besoins dessus. On le gronde si on le surprend en train de faire ailleurs.

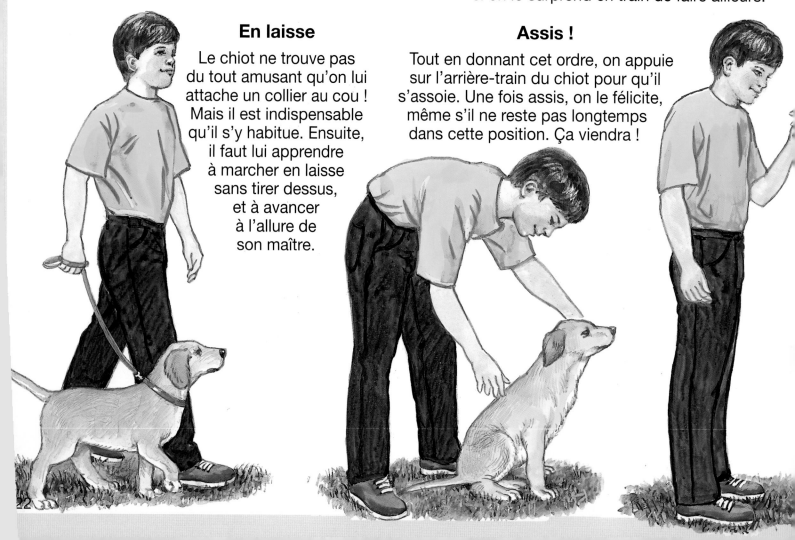

En laisse

Le chiot ne trouve pas du tout amusant qu'on lui attache un collier au cou ! Mais il est indispensable qu'il s'y habitue. Ensuite, il faut lui apprendre à marcher en laisse sans tirer dessus, et à avancer à l'allure de son maître.

Assis !

Tout en donnant cet ordre, on appuie sur l'arrière-train du chiot pour qu'il s'assoie. Une fois assis, on le félicite, même s'il ne reste pas longtemps dans cette position. Ça viendra !

Un jouet rien qu'à lui

Pour éviter qu'il joue avec n'importe quoi, on donne au chiot un jouet à mordiller. Si on le surprend avec un objet interdit, il faut le corriger fermement. Mais la punition doit être infligée uniquement au moment où il fait la bêtise. Sinon, il ne comprend pas.

Manger gentiment

Le chiot est un glouton et n'aimerait pas qu'on lui enlève sa nourriture. Afin qu'il ne prenne pas l'habitude de protéger son repas en montrant les dents, il faut l'accoutumer, dès le début de son éducation, à être dérangé pendant qu'il mange.

Récompenser ou punir

L'éducation par la récompense se révèle plus longue, mais plus durable que le dressage par la punition. On félicite immédiatement le chien qui obéit par une caresse ou une friandise.

Couché !

En même temps que l'on prononce l'ordre, on maintient le chien allongé sur le ventre, pattes arrière pliées, pattes avant étendues, dans la position du sphinx.

Aux pieds !

On rappelle le chiot toujours par le même ordre. Il ne faut pas le punir s'il obéit trop tard. Il pourrait croire qu'il est puni parce qu'il est revenu !

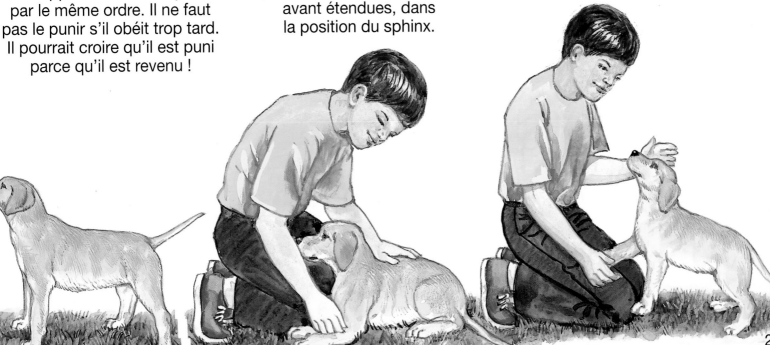

LES ATTITUDES

Le chien est un animal social qui vit en meute ou dans une famille humaine et communique avec ses congénères et les hommes. On dit souvent qu'il ne lui manque que la parole ! Mais il n'en a pas besoin. Pour se faire comprendre, il aboie et utilise un langage muet fait de mimiques. L'expression de son visage, le mouvement de ses oreilles et de sa queue ou la position de son corps expriment son état. Les messages sont généralement clairs, mais il arrive que des nuances mal perçues aient de graves conséquences. Un bâillement, par exemple, peut être un signe non pas de fatigue mais d'incompréhension.

Le chien marque son territoire

Le chien dégage des hormones odoriférantes appelées phéromones, qu'il laisse aussi dans son urine. Pour marquer son territoire, il envoie un jet d'urine. En le flairant, les autres chiens recueillent des informations sur son âge, son sexe et sa position hiérarchique.

La soumission

Face à son maître ou à un chien qui s'avance oreilles et queue dressées en signe de domination, un chien plus faible détourne le regard, se couche et offre son flanc. Il se place en posture de totale soumission.

La peur devant le plus fort

Quand il a fait une bêtise et que son maître le corrige, le chien a la queue entre les jambes et l'arrière-train baissé. Il marche lentement, jusqu'à ramper, oreilles aplaties. Le chien montre sa soumission.

L'identité odorante

Quand deux chiens se croisent, ils se tournent autour puis reniflent les parties du corps où les glandes sécrètent les phéromones, notamment entre les cuisses. Il ne s'agit pas exclusivement d'intérêt sexuel, mais d'une façon de mieux connaître l'autre.

Prêt à mordre

Un chien prêt à mordre a le corps tendu, le poil de son dos hérissé, les oreilles en arrière. Il grogne, aboie et montre les dents. Il est prêt à attaquer pour défendre sa position hiérarchique, ses petits, son territoire ou sa nourriture.

L'aboiement est un avertissement, pas une agression, et les nuances indiquent l'appel au jeu, le danger ou le bonjour. Le chien gémit d'impatience ou de malaise. S'il grogne, il menace.

Le hurlement, qui sert à réunir la meute dans la vie sauvage, n'a plus d'utilité pour le chien domestique. Quand il hurle, soit il fait des vocalises, soit il « hurle à la mort » parce qu'il se sent seul.

L'invitation au jeu

Pour inciter un chien plus petit à jouer avec lui, un chien plus grand s'allonge sur le dos, montrant ainsi ses bonnes intentions. Si le petit ne bouge pas, le grand tente de se faire remarquer en faisant des bonds. Quand il veut jouer avec son maître, le chien lui apporte sa balle, un bout de bois ou tout autre objet et s'incline devant lui. Ses pattes avant sont pliées et son arrière-train dressé. Il remue vivement la queue et aboie joyeusement.

2

L'ENTRETIEN

Quand on a fait l'acquisition d'un chien trouvé, il faut l'emmener chez le vétérinaire, qui fait un bilan de santé et donne des conseils sur la nourriture à lui donner. Si on achète un chien dans un magasin spécialisé ou un élevage, on s'assure que son carnet de santé est en règle. Un chiot doit être éveillé et curieux, c'est un signe de bonne santé. Les vaccins doivent être faits avant de le baigner ou de le promener dans la nature. L'éleveur indique la nourriture habituelle du chien, qu'il faut éviter de changer. Les changements provoquent souvent des dérangements intestinaux, mais qui sont sans gravité.

Les soins indispensables

Les vaccins sont essentiels, surtout celui contre la rage. Le calendrier des rappels est à respecter impérativement. Il faut traiter régulièrement le chien contre les parasites qui risquent de l'affaiblir. Le vétérinaire tatoue dans son oreille un numéro d'identité.

Un yorkshire en papillotes d'aluminium pour une mise en plis. Le toilettage est indispensable avant les concours de beauté.

Le bain

On peut baigner le chien vers quatre mois, quand les vaccins ont été faits. Il est préférable de le brosser avant pour enlever les nœuds. On le mouille avec de l'eau tiède. On le frotte avec un shampooing adapté à sa peau en commençant par l'arrière, en remontant vers la tête et en évitant les yeux et les oreilles. Puis on le rince bien.

Le soin des dents

Le tartre qui se dépose sur les dents du chien les déchausse. Il faut donc les lui brosser régulièrement. C'est une opération délicate, car le chien n'aime pas ça ! Pour faciliter les choses, on emploie un dentifrice au goût de viande ou, une fois par an, on confie le détartrage au vétérinaire, qui endort le chien pour ne pas être dérangé.

Le soin des oreilles

Il est nécessaire de nettoyer de temps en temps les oreilles de son chien avec un chiffon fin. S'il se gratte souvent les oreilles, c'est qu'il est peut-être gêné par une otite ou un corps étranger. La visite chez le vétérinaire s'impose ! S'il a une otite, on met des gouttes dans ses oreilles en maintenant bien sa tête.

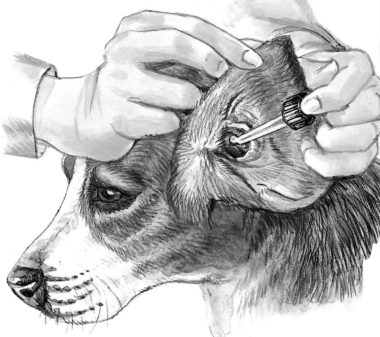

Le brossage

Le brossage du chien est important pour son aspect, mais aussi pour sa santé, car il le débarrasse des parasites. Les chiens à poil épais réclament un brossage plus fréquent que les chiens à poil ras. Le brossage quotidien des chiens à poil long prend beaucoup de temps. On utilise une brosse, et une étrille pour les poils durs.

Le séchage

Une fois qu'il s'est secoué, on sèche le chien avec une serviette et, s'il le supporte, avec un sèche-cheveux à basse température pour aérer son poil.

27

TABLE DES MATIÈRES

ISBN : 978-2-215-06697-2
© Groupe FLEURUS, 2002
Conforme à la loi n°49-956 du 16 juillet 1949
sur les publications destinées à la jeunesse.
Dépôt légal à la date de parution.
Imprimé en Italie (10-07).